꿈꾸는
역도 소녀

글 윤주연

대구대학교 일반대학원 정서·행동장애아교육을 전공하고, 발달장애인의 도전적 행동을 지원하고 있어요. 마음을 표현하는 방법은 말과 글이 전부가 아니에요. 작은 손짓이나 눈빛만으로도 생각과 감정을 표현할 수 있어요. 모든 행동에는 의미가 있으니까요. 발달장애인의 행동을 주의 깊게 관찰하며 앞으로도 계속해서 소통을 돕고 싶어요.

글 박현아

특수교육을 전공하고 여러 일을 하다 현재는 동화를 쓰고 있어요. 불편해서 모른 척했지만, 꼭 알아야 하는 이야기를 짓기 위해 매일 읽고 씁니다. 때 묻지 않은 영혼으로 따뜻한 이야기를 전하는 할머니가 되는 게 꿈이에요. <상처사진기 나혼네컷>외 다섯 권의 동화책 출간을 앞두고 있습니다.

그림 권수연

어려서부터 고양이와 만화영화를 유독 좋아했어요. 이야기를 그림으로 표현하는 데 매력을 느껴 애니메이션을 전공한 후 관련 회사에 근무 중입니다. 또 다른 지혜 씨를 만나며 반짝이는 이야기를 그림으로 빚고 싶습니다.

꿈꾸는 역도 소녀

– 친절한 지혜 씨 –

글 윤주연, 박현아 · 그림 권수연

코이북스

1

지혜 씨를 소개합니다.

지혜 씨는 검정 티셔츠에 하얀 도복 바지를 입고 다녀요.

150센티의 작은 키에 어깨가 딱 벌어졌어요.

항상 메고 다니는 별 모양 가방은

소녀 감성을 유지하는 패션 아이템이에요.

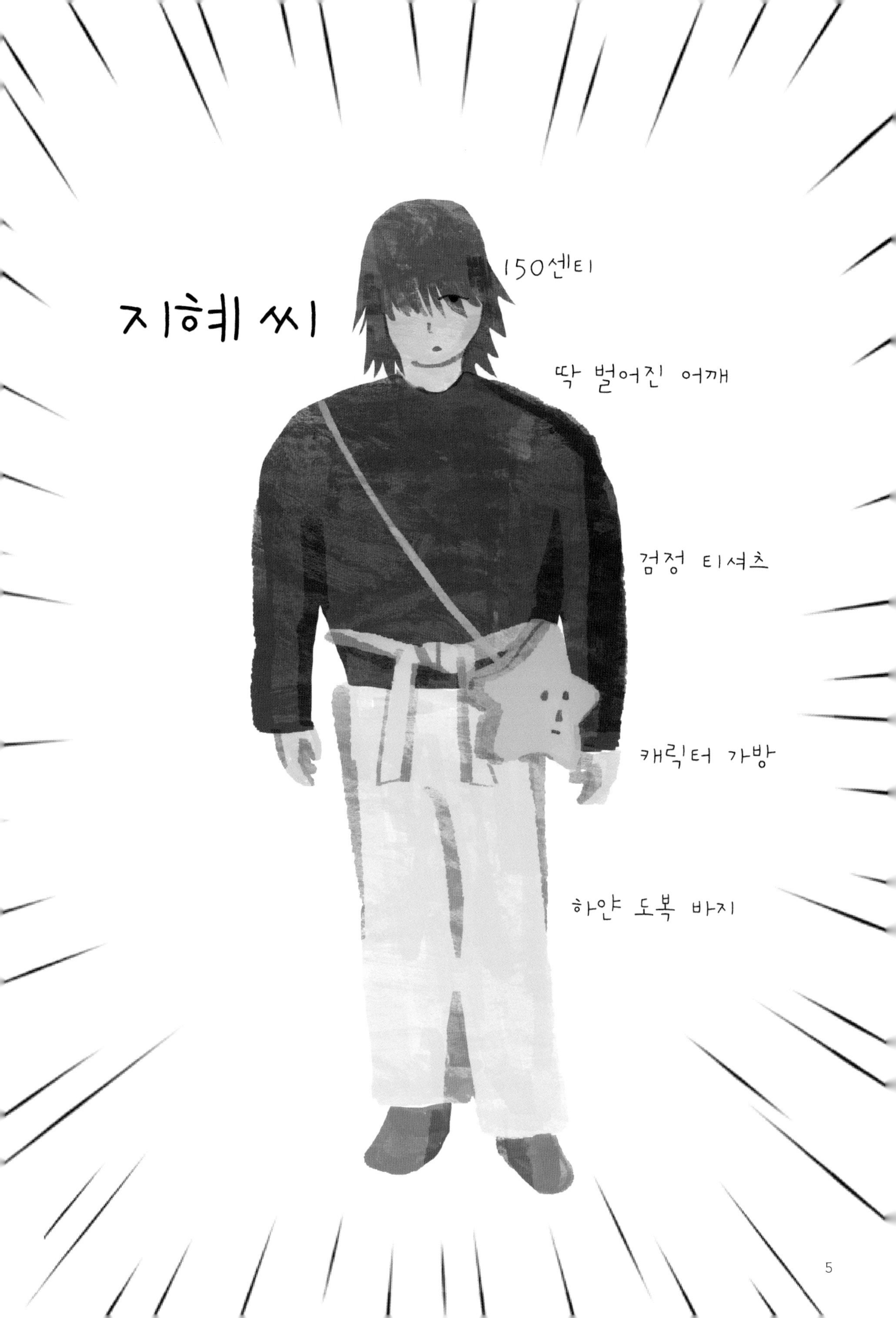
지혜 씨
150센티
딱 벌어진 어깨
검정 티셔츠
캐릭터 가방
하얀 도복 바지

덥수룩한 짧은 머리에 치렁치렁한 앞머리가
지혜 씨 눈동자를 가리고 있어요.
있는 듯 없는 듯한 목은 다부진 체격과
어울려요.
짧고 두툼한 손가락에서 뭔가 모를
기운이 느껴지기도 하죠.

앞머리 사이로 언뜻 보이는 눈과 마주치기라도 하면
지혜 씨는 고개를 휙 돌려버려요.
그러고는 한숨을 쉬며 이마에 손을 댔다가
양옆으로 손을 휘젓고 말지요.
지혜 씨가 당황하거나 놀랄 때마다 하는 행동이에요.

2

이런 걸 할 수 있고 또 좋아해요.

지혜 씨는 짧은 문장을 쓸 수 있어요.
'엄마 피자 먹고 싶어요.'
'오늘은 센터 안 갈래요.'처럼
자신이 원하는 게 있으면 문자를 보내기도 해요.

"음~ 언니가 때려가지고, 음~ 내가 화가 나가지고~"

지혜 씨만의 독특한 말투에요.

혀 짧은 소리로 '~가지고'를 붙이며 말을 길게 늘여 트리지요.

콧소리가 섞인 앵앵거리는 말투 때문에 곤란한 상황이 생기기도 해요.
상대방이 몇 번씩 말을 되물으면 "아이고~ 내 말은 요." 하고
가슴을 치며 화를 내요.

지혜 씨는 동료들과 시간을 보내기보다 러닝 머신을 타며
선생님들을 관찰하는 걸 더 좋아해요.
창문 너머로 보이는 선생님들을 보고 킥킥 웃기도 해요.
특히 김 선생님을 무척 좋아해요.

지혜 씨는 김 선생님이 하는 모든 행동을 따라 하려고 해요.

선생님이 물을 마시면 물을 마시고,

선생님이 화장실을 가면 화장실을 따라갈 정도지요.

김 선생님은 그림자처럼 따라다니는
지혜 씨가 싫지 않지만 조금은 버거워요.
다른 사람을 도와주거나 업무를 처리해야 할 때,
지혜 씨 때문에 난감한 상황이 발생하곤 하거든요.

3

지혜 씨의 두 얼굴

지혜 씨는 김 선생님을 포함한 다른 남자 선생님들이
관심을 보일 때만 살갑고 바지런한 편이에요.
김 선생님이 곁에 없으면 아무것도 안 하려고 하거나,
괴성을 지르고 욕을 하며 주위 사람들을 때리곤 하지요.[2)]

2) 도전적 행동

*각주에 대한 설명은 p42 QR코드에서 확인하세요.

지혜 씨의 난폭한 행동 때문에
선생님과 동료들은 무서움에 떨어요.
자연스레 지혜 씨의 눈치도 보게 되고요.
더 큰 문제는 지혜 씨의 거친 행동이
매일 같이 반복된다는 거예요.
센터 동료의 부모님이 항의할
정도였으니 오죽했을까요.

4

고민하는 선생님

김 선생님은 고민에 빠졌어요.

지혜 씨의 행동을 어떻게든 바로잡고 싶었거든요.

김 선생님은 도전적 행동에 다른 이유가[3] 있다고 생각했어요.

그래서 지혜 씨 주변을 세심하게 들여다봤어요.

---

3) 도전적 행동의 기능

먼저, 지혜 씨가 소리를 지르고 욕을 하거나
사람들을 때리기 전, 주로 무엇을 하고
있었는지를 파악했어요.
그리고 주변 사람들이 어떻게
대처하는지도 유심히 살펴보았죠.[1)]

1) ABC 관찰기록

김 선생님은 지혜 씨의 도전적 행동 전후 상황을
열 번 넘게 관찰하며 기록[1] 했어요.
그 결과 새로운 사실을 알아냈어요.
지혜 씨의 도전적 행동은 사랑과 관심을 요구[3]하는 표현이었어요.[4]

1) ABC 관찰기록
3) 도전적 행동의 기능
4) 기능평가

지혜 씨 부모님은 매일 새벽에 떡집으로 출근했어요.
집에서 혼자 시간을[6] 보낼수록 사랑과 관심을 받고 싶은 마음도 커져만 갔죠.
하지만 지혜 씨는 그런 마음을 표현할 줄 몰랐어요.
그래서 아빠와 비슷하게 생긴 김 선생님에게 사랑과 관심을 채우려고 했죠.

6) 배경사건 중재

김 선생님은 그제서야 지혜 씨의 마음을 이해했어요.

다른 선생님들에게 지혜 씨의 도전적 행동에 대한 배경도 알렸지요.

선생님들은 힘을 모아 해결책을 세우기로 했어요.

과연 지혜 씨의 행동은 어떻게 변했을까요?

5

친절한 지혜 씨로 거듭나기 위한 4가지 방법

선생님들은 회의를 거듭하며
지혜 씨를 위한 긍정적
행동지원 계획[5)]을 세웠어요.

---

5) 긍정적 행동지원
(positive behavior support:PBS)

첫 번째. 지혜 씨 부모님과 자주 소통을 했어요.[6)]

지혜 씨의 도전적 행동을 줄이기 위해서는 센터에 오기 전
지혜 씨 기분을 미리 알아야 했어요.
아침밥을 먹지 못하고 온 날은 유난히 짜증을 많이 내는 것처럼,[6)]
지혜 씨가 어떤 일상을 보냈고, 감정 상태가 어떤가에 따라
센터 생활도 달라질 수 있기 때문이에요.

6) 배경사건 중재

김 선생님은 지혜 씨의 부모님과 매일 아침 연락을 주고 받았어요.[7)]

김 선생님은 지혜 씨가 전날 집에서 무얼 했는지,

오늘 아침 기분은 어떤지, 식사와 약은 거르지 않았는지,

특별히 아픈 곳이 없는지 매일 확인했어요.[7)]

7) 가정 연계

두 번째. 지혜 씨가 편안함과 뿌듯함을 느끼도록 환경을 바꿨어요.[8)]

김 선생님이 잘 보이는 곳으로 지혜 씨 자리를 옮겼어요.[10)]
김 선생님이 잠시 보이지 않더라도 가까이에 있다고 알려줬지요.
다른 선생님들도 지혜 씨와 가까워지기 위해 수시로 이름을 불러줬어요.[9)]

8) 선행사건 중재
9) 관심 시간 계획
10) 근접성 증진

김 선생님은 지혜 씨와 함께 그림책을 만들었어요.
지혜 씨가 센터에 있는 동안 해야 할 일과 지켜야 할 규칙이 적힌 책이죠.[12]
김 선생님은 지혜 씨가 센터에 오면 함께 그림책을 읽었어요.
그림을 보고 간단한 문장을 읽으며 그 날의 일과와 규칙을 확인했어요.
김 선생님은 지혜 씨 가방에 그림책을 넣어주고
필요할 때마다 꺼내 볼 수 있게 했어요.[13]

12) 행동계약
13) 자기교시

김 선생님은 지혜 씨에게
심부름을 부탁하기도 했어요.
간식 접시 옮기기, 신발 정리하기 등
지혜 씨 스스로 충분히 해낼 만한 일이었죠.
지혜 씨는 한껏 들뜬 얼굴로 임무를
수행했어요.[15)]
김 선생님을 돕는 게 지혜 씨에게는
큰 기쁨이자, 사랑과 관심을 한몸에
받을 수 있는 절호의 기회였으니까요.

15) 역할 부여

김 선생님은 지혜 씨가 도와줄 수 있는 일 목록 중 몇 개를 스스로 선택하게 했어요.[11][14]
그리고 지혜 씨를 '작은 선생님'이라 부르며, 네모난 이름표도 달아줬어요.[15]
지혜 씨의 어깨가 한층 솟아올랐어요.
앞머리 사이로 보이는 눈동자가 반짝반짝 빛났어요.

11) 예측 가능성 향상

14) 선택의 기회 제공

15) 역할 부여

세 번째. 지혜 씨만의 감정 표현 방법을 찾아줬어요.[16)]

김 선생님의 노력에도 불구하고 지혜 씨는 화를 참지 못하고 소리를 지르거나 욕을 하고 다른 사람들을 때리기도 했어요. 하지만 김 선생님은 지혜 씨를 혼내지 않고, 도움을 요청할 때 손을 들도록 알려줬어요.[26)]
그리고 〈안정의 방〉으로 데려갔어요.[17)]

16) 대체행동(기술) 중재
17) 진정구역(심리안정실)
26) 기능적 의사소통 훈련

김 선생님은 지혜 씨가 기분을 표현할 수 있도록 도와줬어요.
감정판을 보여주며 지금 기분과 비슷한 카드를 고르게 했죠.[19)]
지혜 씨가 '무서워요', '짜증 나요' 감정 카드를 고르면 김 선생님은 차분한 목소리로
"그렇군요. 무서웠군요."
"그래서 짜증이 났군요." 하며 지혜 씨 어깨를 토닥여줬어요.

19) 감정 코칭

지혜 씨는 뽕망치 치기, 종이 구기기, 펀치 때리기를 하며 감정을 분출했어요.
그럴 때마다 김 선생님은 지혜 씨 감정에 공감해줬어요.
지혜 씨는 점차 다양한 감정 카드에 관심을 가지며 기분을 표현했어요.

네 번째. 지혜 씨가 가장 좋아하는 걸 하게 해줬어요.[20)]

지혜 씨는 화난 감정을 스스로 다스릴 때마다 쿠폰을 받았어요.
쿠폰을 2개 모으면 김 선생님 사진으로 바꿀 수 있었어요.[21)]
지혜 씨가 사진을 내밀면 김 선생님은 이렇게 말했어요.
"우리 산책 갈까요?"

---

20) 후속사건(결과) 중재
21) 토큰경제(강화)

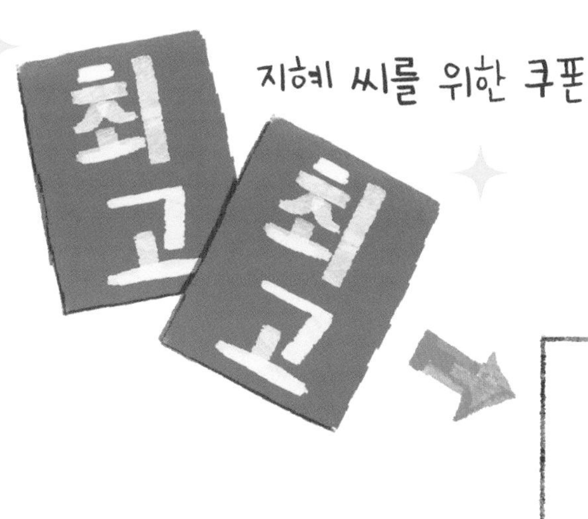

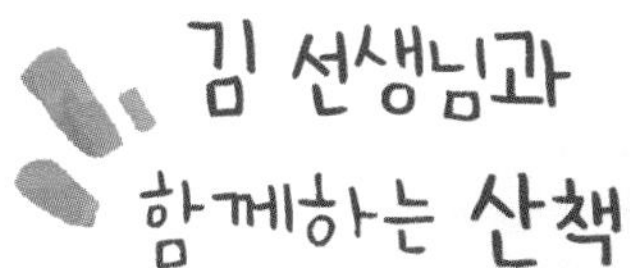

지혜 씨가
제일 좋아하는
김 선생님 사진

지혜 씨는 시원한 음료수를 마시며 김 선생님과
산책하는 걸 제일 좋아했어요.[24)]
지혜 씨 행동이 점점 달라지기 시작했어요.
화가 나더라도 곧바로 소리를 지르거나 욕을 하지 않고
다른 선생님에게 도움을 요청하며, 끓어오르는 화를 참으려 했어요.

24) 정적 강화

6

친절한 지혜 씨

지혜 씨의 행동은 2주 만에 놀랍게 변했어요.
센터에 오면 가방에서 그림책을 꺼내
오늘 할 일과 지켜야 할 규칙을 스스로 확인했어요.
김 선생님을 돕는 일도 알아서 척척 해냈지요.
그런 지혜 씨를 보니 김 선생님은 한편으로 걱정이 되었어요.
지혜 씨가 센터 생활을 지루해하고 힘들어할까 봐요.

김 선생님은 동료인 진석 씨와 작은 선생님 역할을
번갈아 하는 게 어떠냐고 물었어요.

지혜 씨는 관심을 빼앗길까 두려워
더 열심히 움직였어요.
그러다 종종 진석 씨와 다투기도 했어요.
김 선생님은 지혜 씨와 진석 씨가 작은 선생님을 번갈아
할 수 있는 방법을 고민했어요.[22)]

22) 대처 및 인내 기술

지혜 씨와 진석 씨는 정해진 시간 동안만 선생님 일을 돕기로 했어요.
누가, 언제, 어떻게 작은 선생님을 할 건지도 서로 의논했고요.
지혜 씨가 오전에 작은 선생님을 하면, 오후에는 진석 씨가
작은 선생님을 하거나, 하루씩 작은 선생님을 번갈아 했어요.[23)]

23) 논리적 귀결

지혜 씨는 김 선생님의 관심을 받지 못할까 봐 불안해하지 않았어요.
오히려 작은 선생님이 된 진석 씨를 도와주거나,
그동안 하지 못했던 일을 하며 알차게 시간을 보냈죠.[25)]

25) 유지 및 일반화

김 선생님은 작은 선생님 역할을 성실히 해낸
지혜 씨와 진석 씨에게 상을 줬어요.[24)]
지혜 씨는 사람들에게 축하와 박수를 흠뻑 받았어요.
지혜 씨는 김 선생님 말고도 많은 사람들이
자신을 응원하고 있다는 걸 깨달았답니다.[25)]

24) 정적 강화

25) 유지 및 일반화

7

꿈꾸는 역도 소녀

지혜 씨는 자신의 감정을 〈안정의 방〉에서 표현하며
스스로 기분을 조절했어요.
싫어하던 여자 선생님과도 잘 어울리며
친절한 작은 선생님으로 거듭나고 있지요.
지혜 씨 부모님도 딸의 변화를 지켜보며
다시 희망을 품게 되었어요.

사실 지혜 씨는 유명한 역도 선수였어요.
부모님과 센터 식구들은 지혜 씨가 선수로 재기하기를 바라고 있지요.
지혜 씨가 태권도 도복 바지와 검정색 티셔츠를 고집하는 이유도
꿈을 잊지 않으려는 마음 때문 아닐까요?
으라차차~ 지혜 씨의 꿈을 있는 힘껏 응원합니다.

'**꿈꾸는 역도 소녀**'에 관한 도전적 행동 중재 지원전략을
QR코드에서 확인하세요. (PDF파일 다운 가능)

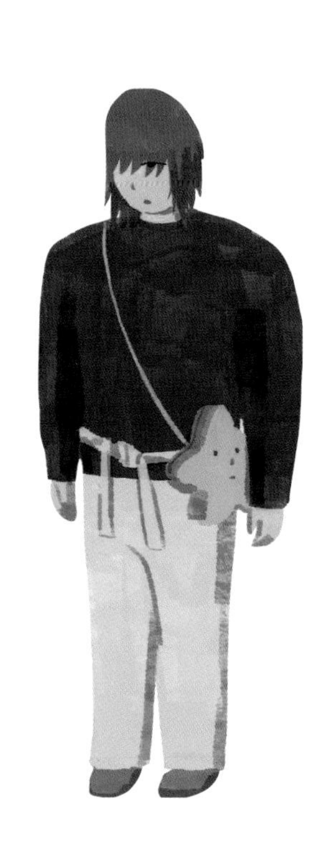

작가의 말

윤주연

지난 10년간 발달장애인을 대상으로 도전적 행동 지원을 해왔습니다. 영유아부터 성인에 이르기까지 도전적 행동을 지원하던 중, 현장에서 응용행동분석을 기반한 긍정적 행동지원과 같은 전문적인 접근법을 적용하기 어렵다는 걸 깨달았습니다.

맥락과 환경을 평가하고 분석해 그에 맞는 지원전략을 세우는 게 어렵지 않다는 걸 실제 사례를 통해 전달하고 싶었습니다. 그러다 현장에서 쉽게 적용할 수 있는 매개체로 그림책을 떠올렸습니다.

주인공 지혜 씨는 사회복지사 선생님과 주변 사람들의 세심한 지원으로 감정을 조절하며 사회적으로 받아들여지는 소통 방법을 배웠습니다. 그 결과 오랫동안 꿈꿔온 역도 선수로서의 길을 다시 도전해보려 합니다.

발달장애를 가진 이들과 함께 일하는 교사, 사회복지사, 부모님들께 이 책이 실질적인 도움이 되길 바랍니다. 또한 지혜씨의 이야기가 여러분에게 영감을 주고, 긍정적인 변화를 이끌어 내길 희망합니다.

작가의 말

박현아

지하철과 버스, 공원과 거리에서 학교에서 만난 발달장애인 친구들을 마주칠 때가 있어요. 키도 몸집도 훌쩍 컸지만, 얼굴은 그대로였죠. 하지만 차마 아는 척하지 못했습니다. 저를 알아보지 못할 거란 생각이 반가운 마음을 꺼트렸거든요. 전공과 멀어진 삶을 택했지만, 여전히 친구들 주변을 맴돌았습니다. 만날 기회가 있으면 어디든 달려갔고, 구상 중인 동화에 등장시키기도 하면서요.

이런 제 마음이 통했는지 뜻깊은 작업에 참여하게 됐습니다. 지혜 씨의 이야기를 다듬으며 문제행동이란 용어가 도전적 행동으로 쓰인다는 걸 알았습니다. 발달장애인의 행동을 바라보는 시선이 달라졌더군요. 반갑고 기뻤습니다.

작은 관심과 노력이 모이면 한 사람의 인생을 바꿀 수도 있다는 생각이 또렷해졌습니다. 낯설고 불편한 행동을 너른 마음으로 바라보겠다고 다짐해 봅니다.

그리고 친구들을 만나면 용기 내 인사를 건네겠습니다.

"안녕, 우리 **학교에서 만났었잖아. 기억나?"

그 외 도움 주신 분들

- 박경옥(대구대학교 초등특수교육과 교수)
- 한경인(대구대학교 특수교육・재활과학연구소 연구교수)
- 김규희(대구대학교 일반대학원 석사과정생)
- 전영재(대구대학교 초등특수교육과 학부생)

・사사표기(국문): 이 동화책은 2022 대한민국 교육부와 한국연구재단의 지원을 받아 대구대학교 특수교육재활과학연구소가 수행한 연구(NRF-2022S1A5C2A07091326)의 결과물입니다.

・사사표기(영문): This book was the result of research conducted by the Institute of Special Education and Rehabilitation Sciences at Daegu University, supported by the Ministry of Education and the National Research Foundation of Korea in 2022 (NRF-2022S1A5C2A07091326).

꿈꾸는
역도 소녀

초판 1쇄 발행 2024년 05월 31일
지은이 글 윤주연, 박현아 · 그림 권수연
펴낸이 김용환
책임편집 김유린
디자인 박지현
발행처 ㈜작가의탄생
임프린트 코이북스
주소 18371 경기도 화성시 병점노을5로 20, 2동 1407호(병점동, 골든스퀘어)
대표전화 1522-3864
전자우편 we@zaktan.com
홈페이지 www.zaktan.com
ISBN 979-11-394-1904-7 (73810)

* 코이북스는 작가의탄생의 그림책 출판 임프린트입니다.

* 잘못된 책은 바꾸어 드립니다.
* 책값은 뒤표지에 있습니다.